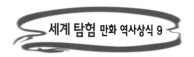

세계 탐험 만화 역사상식 9

러시아에서 보물찾기

세계 탐험 만화 역사상식 9

러시아에서 보물찾기

글 곰돌이 co. | **그림** 강경효 | **채색** 박경원 | **사진** guramj, 포토뱅크, NASA, Shutterstock, Wiki
펴낸날 2006년 3월 13일 초판 1쇄 | 2020년 9월 22일 초판 17쇄
펴낸이 김영진 | **대표이사** 신광수 | **본부장** 강윤구 | **개발실장** 위귀영 | **사업실장** 백주현
기획 · 편집 김다은, 조은지, 김수지, 노보람, 손주원, 한정아, 변하영 | **디자인** 김리안
아동마케팅팀장 박충열 | **아동마케팅** 김세라, 민현기, 정재성, 강륜아, 김보경, 이강원, 허성배, 정슬기, 설유상, 정재욱
출판기획팀장 이병욱 | **출판기획** 이주연, 이형배, 김마이, 이아람, 이기준, 전효정, 이우성
펴낸곳 (주)미래엔 서울특별시 서초구 신반포로 321 | **문의** 미래엔 고객센터 1800-8890 팩스 02)541-8249
출판등록 1950년 11월 1일 제16-67호 | **홈페이지** www.mirae-n.com

ISBN 978-89-378-4028-9 77900
ISBN 978-89-378-1355-9(세트)

파본은 구입처에서 교환해 드리며, 관련 법령에 따라 환불해 드립니다. 다만, 제품 훼손 시 환불이 불가능합니다.
값은 뒤표지에 있습니다.

세계 탐험 만화 역사상식 9

러시아에서 보물찾기

글 곰돌이 co. | 그림 강경효

Mirae N 아이세움

펴내는 글

러시아는 세계에서 가장 큰 영토와 막대한 천연자원, 그리고 다양한 전통
문화를 갖고 있는 다민족 국가입니다. 여기에 계몽화라는 이름으로 도입된
러시아 제국 시대의 유럽 문화와 구소련 붕괴 이후의 서구화 바람이
결합되면서 러시아 특유의 문화를 갖게 되었습니다. 때문에 유럽과도 다르고
아시아와도 다른 독특하고도 다채로운 모습을 보이는 러시아는 세계의
또 다른 면을 만날 수 있는 나라입니다.

우리나라와 거리상으로는 가깝지만, 한때 미국과 맞서며 냉전 시대를 이끈
공산주의 국가였기 때문에 잘 알려지지 않은 나라이기도 합니다. 그러나
1991년 공산주의 체제가 붕괴되면서 급속한 변화를 겪었고, 구소련의 해체
이후 러시아는 민족 갈등과 감소하는 인구 문제 등으로 인해 아직까지도
정치·경제·사회적으로 매우 혼란한 상태입니다. 하지만 건강한 생태계와
풍부한 천연자원을 기초로 빠른 산업 발달을 이루며 중국, 인도와 함께 경제
발전이 가장 기대되는 나라로 손꼽히기도 합니다.

또한 러시아는 세계적인 예술의 나라이기도 합니다. 크렘린과 에르미타슈
미술관 등의 아름다운 건축물, 차이코프스키와 톨스토이 등의 거장을 배출한
음악과 문학, 볼쇼이 발레단이 있는 무용에 이르기까지 풍부한 문화 자산을

갖고 있습니다. 13세기 몽골족의 침입부터 프랑스의 나폴레옹, 제2차 세계
대전 중 독일 나치스의 침입에 이르기까지 수많은 외세의 공격을 받았으나,
전쟁 중에도 오케스트라 정기 공연이 이루어졌을 정도로 러시아인의 예술에
대한 열정은 대단하다고 합니다.

주인공 팡이와 토리는 유물과 예술이 만난 특별 발레 공연을 관람하기 위해
러시아로 향합니다. 그곳에서 러시아 황실의 유물인 쌍두 독수리 문양의
왕관이 가짜와 바뀌었다는 것을 알게 된 팡이와 토리는, 러시아의 자존심인
왕관을 찾아 광활한 땅덩어리를 가로지릅니다. 러시아의 찬란한 문화와
역사, 살을 에는 듯한 추위를 직접 겪으며 왕관을 찾는 주인공들과 함께
러시아 속으로 떠나 보세요!

2006년 3월
지은이 **곰돌이 co.** · **강경효**

차 례

등장인물 소개

지팡이

세계를 누비며 겪는 모험과 유물 탐사를 좋아해서
밀린 방학 숙제를 외면하고 러시아로 떠나기 위해
토리에게 빌붙기도 한다.
쌍두 독수리 왕관의 광채가 이상한 것을 맨 처음 알아채고
진짜 왕관을 찾아 러시아를 누빈다.

특기 보석을 감별하는 눈썰미,
유물을 알아차리는 뛰어난 직감력.

주요 관심사 각 나라의 재미있는 문화, 맛있는 음식.

도토리

팡이의 라이벌. 사건이 미궁에 빠지자
뛰어난 두뇌와 엉덩이(?)를 이용해
쌍두 독수리 문장을 찾는다.
고소 공포증이 있어 소극적일 때도 있지만,
팡이에게 위기가 닥치자 온몸을 던져 구하는
용기를 보인다.

특기 한 번에 모자이크를 맞추는
공간 지각력, 힘찬 방귀.

주요 관심사 러시아 발레와 유물,
팡이보다 한 수 위임을 입증하는 것.

이은주 조교

지 교수의 옛 조교로 대학원을 졸업한 뒤 백수로 지내고 있다.
취업 시험에 번번이 떨어져 폴 조교를 상대로 스트레스를 풀던 중,
도 박사 부자와 함께 러시아로 향한다.

특기 잡다한 역사 상식, 봉팔이의 향기 맡기.

주요 관심사 취직, 이상형 남자 친구 만들기.

도토란 박사

뛰어난 두뇌를 갖고 신기술과 첨단 장비로
연구하는 세계적인 고고학 교수.
지구본 교수의 오랜 라이벌이자 친구이다.

특기 평상시에도 장비를 챙기는 꼼꼼함,
보석과 유물에 대한 해박한 지식.

주요 관심사 러시아 발레의 아름다움,
유물의 보존.

봉자바

세계를 누비며 보물과 유물을
가로채는 봉씨 일가 중
한 명으로 봉팔이의 사촌 누나.
KGB 특수 훈련을 받아
체력과 균형 감각이 뛰어나다.

특기 완벽한 모조품 제작,
뛰어난 변장술.

주요 관심사 유물로 부자 되기.

빅토르

전 KGB 특수 요원 출신으로,
볼쇼이 공연에 사용된 유물의
경비를 맡고 있다.
봉자바에게 KGB 특수 훈련을
받게 해 주어 함께 일을 꾸민다.

특기 KGB 특공 무술.

주요 관심사 구소련 시절의
영광을 되찾는 것.

그 외 조연들

❶ 이고르 단장을 라이벌로 여기는
볼쇼이 발레단 단장.
❷ 볼쇼이 발레단의 〈백조의 호수〉에서
지그프리드 역을 맡은 미남 **발레리노.**

이고르

볼쇼이 발레단과 라이벌 관계인
키로프 마린스키 발레단의 단장.
볼쇼이 발레단의 황실 유물 공연을
비판해 의심을 산다.
발레는 물론 예술품에 대한 조예가 깊어
왕관 경매의 초청장을 받는다.

특기 예술 전반에 대한 이해력,
뛰어난 지성.

주요 관심사 러시아 발레의 정통성 유지,
사랑하는 아내 기쁘게 해 주기.

제1장
즈드라스부이쩨, 라씨야

러시아에서도 보물찾기 콤비의 활약을 기대하세요~!

어머머머, 이것 좀 봐~.

교수님 방에 이렇게 먼지가 쌓이다니……

대체 새로 온 조교는 뭘 하는 거예요?!

*즈드라스부이쩨, 라씨야 러시아어로 '안녕하세요, 러시아'란 뜻.

파, 팡이 너!!
방학 숙제는 다 하고
노는 거야?!

그, 그거야말로
누나가 상관할 바
아니잖아!

그게 무슨
말버릇이야?!

아야!
왜 때려!!

빡!

휴

월리엄 박사님의 말만 믿고
지 교수님한테 온 지도
어언 한 달……

지 교수의 조교는
굉장한 모험을 했지!

지 교수 옆에 있으면
전 세계를 돌며 유물을
발굴할 수 있을 거야!

그런데
지 교수님은!

크흥

냠냠 냠

쩝쩝쩝

뭘 보나?!

우당!

쩝 쩝

폴 조교!
이 우편물들은
다 뭐예요?

그건
지 교수님 건데요.

휘

휘

휘

교수님은 논문 쓰시는 동안
정상이 아니라고요!
이런 건 조교가 알아서
확인해야 해요!

나 말인가?

내가 이런 것까지
일일이 가르쳐 줘야······

앗! 이, 이건
러시아에서 온
초청장이잖아!

RUSSIA

러시아?!

에르미타슈 미술관의
러시아 황실 유물을 소품으로 쓰는
볼쇼이 발레단 공연!
몇몇 세계적인 고고학자와
예술가들을 초청한대!!

굉장하다!

러시아 황실의
유물이라면 화려하기로
정평이 나 있지!

게다가 세계 최고의
발레단인 볼쇼이의
공연이라니!!

4인 초대장이니까
우리 모두 갈 수 있어!

러시아로
출발~♪

쿵짝
쿵짝

와우!
경사났네
~♪

드디어 유물을 보러
떠나는 건가요?
야호~!!

왜 그래요?
또 뭐가 문제예요?!

여기 날짜 좀 보라고!
제때 확인을 안 해서
신청 기한이 이미
지나 버렸잖아!

좋다
말았네

여~, 지 교수!
안녕하신가!!

엥?!

우당탕탕

누나!
참아!

책임
지라고요!!
책임!!

으악!!
살려 주세요!!

코딱지만 한 연구실에서 객식구들이 왜 이리 소란인가?

객식구라니요?!

자네는 아직도 취업을 못했나?

헉!

야, 곰팡이! 너 또 숙제도 안 하고 노는 거지?

네가 무슨 상관이야?

친구끼리 안부도 못 묻냐?

내가 왜 니 친구야?!

웬수야!!

저도 열심히 취업 준비 하고 있다고요!

왜 나한테 화를 내나?!

이잉~.

우린 라이벌일 뿐이야!

좋아, 나도 친구 안 해!

16

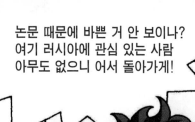

논문 때문에 바쁜 거 안 보이나?
여기 러시아에 관심 있는 사람
아무도 없으니 어서 돌아가게!

쳇.

엉?!

우린 관심
많아요!

삼촌 대신
저희를 끼워 주세요.

흑... 다들
너무 해! 나는
안중에도
없고...
엑스트라는
비참 해!

아니, 자네는
취업 준비 한다며!

이게 모두
취업을 위한
준비 과정이죠~.

친구야, 그런 건
진작 말하지~.

됐거든,
난 너 같은 친구
없거든!

러시아는 어떤 나라?

러시아의 정식 명칭은 러시아 연방(Russian Federation)이며 행정 구역은 46개 주, 21개 공화국, 4개 자치구, 9개 지방, 수도인 모스크바와 상트페테르부르크의 2개 특별시, 1개 자치주로 구성되어 있습니다.
우랄 산맥을 기준으로 동쪽은 아시아, 서쪽은 유럽과 맞닿아 있고 남동쪽은 험준한 산악 지대, 북서쪽은 광활한 평지로

이루어져 있습니다. 또한 총면적 1,709만km²로 세계에서 가장 큰 국토를 가진 나라이며, 지구 육지 면적의 7분의 1을 차지합니다. 국토가 넓어 러시아 안에서도 시차가 11시간이나 되며, 10개 이상의 국가와 국경을 접하고 있습니다. 인구는 약 1억 4,250만 명(2013년 기준)으로, 150여 개의 크고 작은 민족으로 구성되어 있으며 러시아인이 전체 인구의 80%를 차지합니다. 또한 석탄, 석유, 천연가스 등의 생산량과 매장량은 세계 최대 수준으로 풍부한 자원과 다양한 개발 잠재력이 있는 나라입니다.

러시아 국기와 문장

러시아 국기 (삼색기)
흰색은 고귀함·자유·독립을, 파란색은 정직과 충성, 빨간색은 용기와 사랑을 뜻한다.

2000년 12월 8일 러시아 의회는 러시아 제국의 깃발이던 삼색기를 국기로, 러시아 제국의 쌍두 독수리를 국가 문장으로 채택했습니다. 삼색기는 오래전부터 러시아의 상징으로 이용되던 것으로 17세기 후반부터 각종 배의 국가 표시나 축제 등에 사용되다 19세기 말 러시아 제국의 정식 국기로 채택되었습니다. 1917년 러시아 혁명 이후 세워진

소비에트 연방은 낫과 망치가 새겨진 붉은 깃발을
국기로 사용했으나, 1991년 소비에트 연방이
해체되자 러시아는 다시 이 삼색기를 국기로
사용하게 됩니다.

15세기 말 비잔틴 제국에서 계승된 쌍두 독수리
문장은 황실의 권력을 상징하며, 17세기부터
러시아의 공식 문장으로 사용되었습니다.

쌍두 독수리의 머리 위에는 각각 작은 왕관이 있고
그 위에 다시 큰 왕관이 올려져 있으며, 쌍두

러시아 제국 시대의 쌍두 독수리 문장
문장의 형태는 수백 년 동안
유지되었지만, 각각이 상징하는 의미는
시대마다 바뀌었다.

독수리는 오른발에 홀(笏)을, 왼발에는 황금구를 쥐고 있습니다. 현재 러시아
연방에서 사용하는 쌍두 독수리 문장의 세 왕관은 행정권·입법권·사법권을
뜻하며, 홀과 구는 주권 수호와 국가의 통일성을 뜻합니다.

러시아의 기후

러시아는 동서는 물론
남북의 폭도 넓어 위치,
면적, 지형에 따라
기후가 다양합니다.
일반적으로는 춥고 긴
겨울과 짧고 서늘한
여름이 특징인 대륙성
기후로, 겨울과 여름이

시작될 때 급격히 계절이 바뀝니다. 시베리아 베르호얀스크의 경우 가장 추운 달과
가장 따뜻한 달의 기온차가 60℃나 되어, 세계에서 가장 큰 연교차를 보입니다.
유라시아의 1월~2월 평균 기온은 영하 10℃ 전후이지만 시베리아는 영하 15℃에서
영하 35℃이며, 내륙 지역은 영하 70℃ 이하로 떨어지는 곳도 있습니다.

제 2 장
왕관의 비밀

러시아 모스크바

영하 40℃의 추위는
추위가 아니고, 40도의 술은
술이 아니며, 40km는
거리도 아니라는 속담만 봐도
러시아의 특징을
한눈에 알 수 있지.

맞아요. 러시아는
추위와 보드카,
넓은 땅덩어리로
유명하잖아요.

에, 에……

22

에췩

그러게 준비를 철저히 하고 와야지, 옷이 그게 뭐야?!

우~ 더러워!

서두르느라 그, 그랬……, 에…….

고마워~, 역시 너밖에 없다. 뽀뽀~!

됐거든! 뽀뽀 필요 없거든!!

이, 이거라도 하고 있어!

볼쇼이 극장이 어느 쪽이더라?

휘이잉

네! 이쪽입니다, 박사님!

쪼오옥

러시아 가이드

23

와! 저 성이
크렘린인가 봐!

처음 봤냐?
너 정말 급하긴 했구나.
공부를 하나도
안 하고 오다니 말야.

크렘린이란 러시아의 성채를 말하는 거야.
가장 유명한 건 모스크바에 있는데,
러시아 제국 초기에 황제가
지낸 곳이지.

붉은 광장도 원래
크렘린을 화재로부터
보호하기 위해서 만든 거래.
러시아어로는 크라스나야 광장인데,
여기엔 아름답다는 뜻도 있어.

특히 크렘린은
러시아 건축 양식의
변천사를 보여 주는……

우아~!
테트리스에 나오는
성 바실리 성당이야!

응?

24

볼쇼이 극장

우아~,
근사하다!!

에르미타슈 미술관의
황실 유물들을
특별 전시 하고 있어!

외투는 여기
맡겨주세요!

경비가 엄청
삼엄한데?

황실의 유물이잖아.

와,
황제의 왕좌!

오, 차르의
왕관!

차이코프스키가 작곡한
〈백조의 호수〉는
〈잠자는 숲 속의 미녀〉,
〈지젤〉과 함께 고전 발레의
3대 걸작으로 불리지.

악마의 마법에 걸려
낮에는 백조가 되는 오데트와
왕자 지그프리드의
사랑 이야기라고.

오데트는 악마의 청혼을 거절해서
저주를 받았는데, 왕자님의 진실한
사랑만이 그 저주를 풀 수 있었어.

그러자 악마는
자신의 딸 오딜을 오데트로
변장시켜 왕자의 무도회에 보내고,
왕자는 그만 그녀에게
사랑을 고백하고 말아.

결국 배신당한
오데트는 영원히 백조로
살게 된다는 내용이야!

말도 안 돼!
악마의 장난으로
사랑하는 사람들이
헤어지다니!

쉿! 공연 중엔 조용히 좀 하게.
게다가 볼쇼이 쇼는 두 주인공이
악마를 물리치는 해피 엔딩으로
극을 바꾸었으니 걱정 말라고!

정말요?

다행이다~.
말은 안 했지만, 나도 한때
별명이 백조였거든.

백조가 아니라
백수겠지~.

아냐,
백조 맞아!

여자 백수는
백조라고 한다고!

크하하

공연 중이잖아!
조용히 하지 못해?

꿍 꿍

저것 봐!
예카테리나 2세의
왕관이야!

우아!

굉장해!!

아름답다!

쉬잇~!

정말 완벽해!!

이 조교가 저렇게 감동을 느끼다니, 지 교수가 조교 교육은 제대로 시켰구먼.

저 발레리노 정말 잘생겼죠? 완벽한 제 이상형이에요!! 지그프리드 왕자님~.

뭐라고?!

아잉♡

이상해…….

……?

우라(만세)!!

브라보!!

우라! 우라!

물론이지! 이게 다
아빠를 잘 둔
덕이란다~.

우라!
우라!
지그프리드!
♡♡

자, 이제 무대 뒤로 가서
사용된 유물들을 직접 볼까?

네?
정말요?!

후
후...

그럼 아까
예카테리나 2세의 왕관도
직접 볼 수 있어요?

당연하지~!
지금쯤 무용수들이
다 벗어 뒀을 게다.

그럼 나의 지그프리드
발레리노도
만날 수 있겠네요!
어서 가요!!

어서 오십시오,
도 박사님.
영광입니다!

아닙니다. 러시아 왕조의 유물과
러시아의 자랑인 발레 공연을
함께 본 제가 영광이지요!

지그
프리드
왕자님은

어디에
계시
려나?

감사합니다. 사실 유물이
도난당할 우려가 있어서
이 공연은 딱 두 번만
하기로 했거든요.

흠……

아얏! 뭐 하는 짓이야!!

이 귀한 유물에 함부로 손을 대다니!

이거 놔요!

이 왕관은 가짜란 말예요!!

그게 무슨 말이냐, 팡이야!

말도 안 돼!!

탁!

빛

* 빛 흡수율이 높다.

· 모조 보석

진짜 보석은 빛의 흡수율이 낮아서 조명을 받을수록 광채가 나죠. 하지만 수많은 조명 아래서도 유독 이 왕관만 빛나지 않았어요. 또 진짜 보석이라면 차가워야 하는데, 이 왕관의 보석은 따뜻해요.

빛

* 빛 흡수율이 낮다.

· 진짜 보석

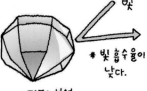

그럴 리 없습니다!
이번 공연을 준비하는 동안
경비와 보안은 그 어느 때보다
철저했어요!

게다가 경비 책임자인 빅토르는
KGB 요원 출신으로,
지금껏 단 한 번도 실수가
없었던 사람입니다.

제가 좀 봐도
괜찮겠습니까?

세계적인 고고학자이신
도 박사님이라면 믿고 맡기겠습니다.
그러나 이번만은 잘못 보셨을 겁니다.

이건 소형 적외선입니다.
다이아몬드에 비추면
붉은빛을 반사하지만,
모조품은 검은빛을 반사하죠.

가, 가짜다!!

이럴 수가!!

털썩

대단하구나!
나도 몰랐던 걸
한눈에 알아보다니.

이제야 저를
믿으시겠어요?

잘난 척하기는!

그래……,
그런 거였어…….

지 교수가 항상 발굴 현장에
팡이를 데리고 다니는 이유가
바로 이거였군!

보물은 모두
팡이가 찾아 내고
생색은 자기가 낸 거야!!

크하하

뭐?

크하하

하하,
어떻게
아셨지?

첫!

여러분만 믿겠습니다!
제발 도둑을 잡아 주세요!!

예?
저희가 왜요?!

영화 〈인디아나 존스〉를 보면
존스 박사가 악당을 물리치고
보물을 찾아오지 않습니까?

그래서요?

인디아나 존스가
고고학자잖아!!

엥?!

실은……, 경찰을 부르면 언론에 알려질 테고
우리 볼쇼이 발레단이 쌓아 온 명성도
하루아침에 무너지고 말 거예요!
사례는 충분히 할 테니, 제발…….

사례?!

유물 보호는 우리의 사명이죠!
저한테 맡겨만 주세요!!

솔직히 사례금이
탐난다고 해!

정말 감사합니다.
필요한 건 뭐든 빅토르에게
말씀만 하십시오!

그럼 전, 다른 유물이
무사한지 검사해
보겠습니다.

이렇게 경비가 삼엄한데
제일 값나가는 왕관을
훔쳐 가다니······.

모조품 만든 솜씨로 봐서
대단한 전문가의 짓이야!

이 향수는······,
그리운 봉 박사님이 쓰는
'파리 드 물랑' 인데······.

보, 봉팔이?!

설마 러시아까지
봉팔이의 마수가?!

누나! 어서
따라가 봐!!

바로 여기야!

나의 봉파뤼 님!!
이게 얼마
만이에요~!

봉
잡았다!

으악!!

까아~!
지그프리드
왕자님이었군요!

남자 탈의실

으아악~!
변태다, 변태!
경비원~!!

아무튼 남자라면
그저~!

러시아 발레

발레는 이탈리아와 프랑스에서 시작되었지만, 현재 서양의 발레는 러시아의 고전 발레를 기본으로 발전했습니다. 러시아 황실은 1673년 러시아에서 처음 열린 발레 공연에 큰 감동을 받아 유럽화 정책의 하나로서 발레를 민중의 오락으로 채택하였고, 황실 무용 학교를 세우고 우수한 안무가를 초빙하여 교육하는 등 발레 발전에 전폭적인 지원을 해 주었습니다. 19세기에 들어 러시아 발레가 서양 무용사에 큰 위치를 차지하면서 유럽의 뛰어난 무용수들과 안무가들이 러시아로 건너와 차이코프스키 같은 뛰어난 작곡가들과 함께 〈백조의 호수〉, 〈호두까기 인형〉, 〈잠자는 숲 속의 미녀〉 등 현재까지 전해 오는 대부분의 작품들을 만들었습니다.

키로프 마린스키 발레단

세계 5대 발레단의 하나로 1728년 상트페테르부르크의 황실 발레 학교 창립 이후 250년이 넘는 역사와 전통을 가지고 있습니다. 섬세하고 고전에 충실한 발레를 추구하는 것으로 유명합니다.

마린스키 극장 극장의 시초는 극장 겸 서커스 공연장이었으나, 개관 10년 만에 화재로 불타 현재의 극장으로 개축되었다.

볼쇼이 발레단

키로프 마린스키 발레단과 함께 세계 5대 발레단 중 하나입니다. 모스크바를 중심으로 활동하던 볼쇼이 발레단은, 1917년 혁명으로 수도가 모스크바로 옮겨지면서 빠르게 발전했습니다. 고전 발레 기법을 바탕으로 웅장한 규모와 활발한 움직임을 선보이며 활동 무대를 전 세계로 넓혔습니다.

볼쇼이 극장 정식 명칭은 러시아 국립 아카데미 대극장으로 예카테리나 여제의 명으로 건립되었다.

러시아 음악

러시아의 음악은 18세기 초 유럽화 정책을 경계로 근대 이전과 이후로 나뉘며, 1917년의 러시아 혁명 이후를 현대로 봅니다. 근대 이전에는 그리스 정교의 영향 아래 성가와 음악 이론이 발전했으며, 근대 이후에는 유럽의 영향을 받아 다양한 음악이 발표됩니다.

차이코프스키 러시아 고전주의 음악을 완성시켰으며, 러시아 특유의 서민적인 정서를 작품에 잘 담아 냈다.

무소르크스키, 림스키코르사코프 등의 국민악파를 비롯, 루빈스타인과 〈교향곡 6번(비창)〉, 고전 발레곡 〈백조의 호수〉, 〈호두까기 인형〉 등으로 유명한 차이코프스키가 근대를 대표하는 음악가입니다. 현대 이후에는 라흐마니노프와 스트라빈스키 등의 활동이 활발했습니다.

러시아 문학

11세기 구전 문학으로부터 이어져 오던 러시아 문학은 약 천 년의 역사를 가지고 있습니다. 18세기 초 표트르 대제의 개혁을 경계로 중세와 근대로 나뉘며, 이 즈음에 고대의 문학 전통이 단절되고 서유럽 문학의 영향을 받아 러시아 특유의 문학이 만들어집니다. 19세기 초에는 천재 시인 푸슈킨의 소설과 시극, 비극 등 다양한 장르의 작품으로 러시아적 현실과 정서를 표현하는 국민

푸슈킨 〈예프게니 오네긴〉, 〈대위의 딸〉, 〈스페이드의 여왕〉 등의 대표작이 있으며, 러시아 사실주의 문학을 확립시켰다.

문학이 형성됩니다. 또한 푸슈킨은 수많은 서정시와 서사시로 아름답고 풍요로운 근대 러시아어를 완성시키고, 사실주의를 발전시킵니다. 19세기 중반은 사실주의 소설의 황금시대로, 이때 쓰인 도스토예프스키의 〈죄와 벌〉, 〈카라마조프의 형제들〉과 사실주의의 최고봉인 톨스토이의 〈전쟁과 평화〉, 〈안나 카레니나〉는 20세기 세계 문학에 큰 영향을 끼칩니다.

제 3 장
의혹의
키로프 발레단

이 차르의
황금구는……

이상 없습니다!

그럼 다음은 황실 장식품인······.

엉?

좋아, 이번에는 꼭 성공할 테다!

못 말려! 정말!

지팡이! 너 지금 뭐 하는 거야!

볼쇼이 서커스 공연 안내가 있기에 나도 한번 해 봤어!

Bolshoi Circus Show

볼쇼이는 '위대하다'는 뜻으로, '볼쇼이 서커스단'은 국가 지원을 받는 서커스단에게 주어지는 이름이란다. 세계적인 실력을 자랑하지.

와, 재밌겠다!!

하긴~, 넌 발레보다는 서커스랑 더 잘 어울리게 생겼으니까, 열심히 해!

뭐?

내 얼굴이 어디가 어때서?!

넌 서커스단의 원숭이같이 생겼잖아!!

뭐! 원숭이!!

제가 옛 KGB 동료들의 도움을 받아 어렵게 이고르가 묵고 있는 호텔을 알아 냈......

모스크바 호텔!

후후..

아니, 그걸 어떻게 알았지?!

훗.

간단해요! 이 인터뷰 사진에 나온 장소가 바로 모스크바 호텔이잖아요~.

꾸물댈 시간 없어! 장소를 알았으니 당장 찾아가자고!

좋아, 출발~!!

얘, 얘들아! 같이 가!

팍

..다다다

모스크바 호텔

여기 이고르 씨 묵고 있죠? 몇 호예요?!

이고르 씨라면 방금 체크아웃 하셨습니다.

네?!

아, 저기 나가시는군요.

저 사람이야!

따라가 보자!

지하철을
타려나 봐!

어서
서둘러……!

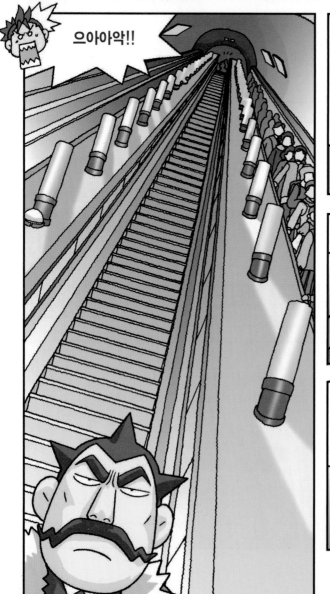

으아아악!!

그렇구나…….

러시아 지하철은
전쟁을 대비해서 땅 속
깊이 만든 것으로 유명해.
경사가 높으니까 조심해.

조, 조, 조심…….

토리 너,
고소 공포증
못 고쳤어?

고치다니?!
난 그런 거
원래 없었어…….

크하하! 이거 스릴 넘치는걸?!

그, 그만둬! 위험하잖아!

난 고소 공포증 같은 거 없거든! 잘 봐, 여기서 저기까지 뛸 테니!

으앗?!

팡…….

으아아! 살려 줘~!

팡이야!

감사합니다,
이고르 씨!

응?

너희들
나를 아니?

앗,
그건……

당연하죠!

오늘 신문에 나오셨잖아요!
'볼쇼이는 서커스다'라고 하셨죠?

오!

51

그래, 정말이지 발레 수준을 낮추는 공연이었어! 황실 유물을 소품으로 사용하다니, 서커스가 따로 없더구나.

그런데 왜 공연을 보셨어요?

사실은 부러웠던 거 아니세요?

부럽다고? 그런 우스꽝스러운 얘기는 처음 듣는군!

무하하

키로프 발레단은 황실의 지원을 받아 발레 전문 학교인 국립 아카데미를 비롯해 세계 최초, 최고의 발레 오케스트라로 러시아 발레를 이끌어 왔다고!

세계적인 무용수가 한둘이 아니고, 볼쇼이의 발레 기술도 모두 우리가 전수한 거야! 키로프가 볼쇼이를 부러워하다니, 말도 안 되지!

그러니 더더욱
볼쇼이가 황실의 유물을
지원받은 데 화나셨을 것
같은데…….

화가 났지.
하지만 그건 황실의 유물로
눈길을 끌려 했다는 점 때문이야.
유물은 유물로서 아름답고, 발레는
발레로서 아름다운데 말이지.

뻥

발레에서
제일 중요한 건
예술 혼이거든.

어서 타렴. 이러다
출발하겠다.

앗!

어서 타자!

음…….

쿠당탕~

우뚝!

아야!

아앗~!

너 때문에 놓쳤잖아!
대체 왜 그래?!

뭔가 잘못됐다고!

또
싸우냐?

아무래도 이고르 씨는
범인이 아닌 것 같아.

저렇게 예술을 사랑하고,
다른 분야를 존중하는 사람이
왕관을 훔쳤을 리 없어!

맞아, 보아하니
돈도 많은 것 같던데
말이야~.

하긴, 별다른
범행 동기가
없어 보이긴 했어.

그래서
말인데……

훗훗
20년만
젊었어도~♪

팡이야, 저기……!

와~!

한꺼번에 일곱 개나 돌리고 있어!

토리야, 저것 좀 봐! 굉장해!

삐에로님! 멋지삼!!

그래, 그래! 실컷 봐라! 난 먼저 가 볼 테니!!

러시아의 대중교통

러시아에는 큰 도시의 지하철을 비롯해 트람바이,
트롤로부스, 버스와 같은 교통망이 잘 발달해
있습니다. 지하철은 거리와 상관 없이 요금이 같지만
그 외의 대중교통은 도시마다 다르며, 무료로 탈 수
있는 곳도 있습니다.

지하철

모스크바, 상트페테르부르크, 노보시비르스크, 이 세 도시에서 운행되는 지하철은
러시아의 자랑으로 편리하고 아름답기로 유명합니다. 1935년에 처음 개통되었으며
11호선, 150여 개의 전철역으로 연결되어 있고 하루 9백만 명의 승객이 이용하고
있습니다. 러시아의 모든 지하철역에는 에스컬레이터가 설치되어 있는데, 길이가
짧은 것은 50m에서 긴 것은 200m가 넘을 정도로 깊고 속도 또한 매우 빠릅니다.
이렇게 땅 속 깊이 지하철을 설치한 이유는, 지반이 약하기 때문에 지하철 내부가
무너져 내리지 않게 하기 위해서이며, 또한 전쟁 등의 위급한 상황에는 방공호로
이용하기 위해서라고 합니다. 러시아 지하철역은 역사마다 벽화나 조각품,
천장화로 화려하고 아름답게 장식되어 러시아의 예술성을 엿볼 수 있습니다.

©Shutterstock

러시아 지하철 내부
모스크바 역은 화려한
샹들리에와 조각품으로
장식되어 있다.

트람바이

도로 중앙에 설치된 철로를 따라 달리는 전차로 전기선에 의해 움직이며 주로
지하철이 없는 지역과 지하철역 사이를 연결하는 역할을 합니다. 도로 중앙으로
운행되기 때문에 타고 내리는 승객들의 안전을 위해, 트람바이가 정차하면
양쪽으로 달리던 다른 차량들도 정지해야 합니다.

©Shutterstock

트람바이 트램(tram)이라고도 하며,
공해와 자원 문제를 해결하는
교통수단으로 새롭게 주목받고 있다.

트롤로부스

야! 또 빠졌네!!

트롤로부스는 트람바이와 비슷하지만 정해진
선로 없이 운행하며, 객차 위에 설치된
전기선으로 전력을 공급받아 움직입니다. 일반
버스처럼 도로를 달리며 전선의 길이만큼 좌우로
움직여서 차선을 이동할 수 있습니다.
가끔 전선의 고리가 빠지기도 하는데, 그런 경우 운전사가 차 밖으로 나와 전선을
거는 모습도 종종 볼 수 있습니다.

아프토부스

우리나라 버스와 같으며 일정한 노선을 운행하는데, 두 대를 연결시킨 형태가
많습니다. 버스 요금은 후불제로 버스를 탄 후 버스 곳곳에 비치되어 있는 펀치로
'탈론' 이라는 승차권에 직접 구멍을 뚫어 지불합니다. 검표인이 불시에
표 검사를 하기 때문에 불법 승차는 어렵다고 합니다.

제 4 장

진짜 왕관은 어디에

휙 휙..

쑥

왜 이렇게
늦었어요?

지금 제정신이오?!
이런 위험한 때에
연락을 하다니!!

후아~

내가 이 왕관을
당신이 만들어 준 모조품이랑
바꿔치느라 얼마나
고생한 줄 알아?!

크아아아

크크···

쿠당탕

계단에서 구르던 순간에도
왕관을 보호하려다
온몸에 멍이 들었다고!

소품실 계단에서
급하게 나오다가
넘어졌는데, 그때
떨어졌나 보네.
허허······

잠깐! 계단에서
굴렀다고요?!

아, 맞다!
계단!!

번쩍!

삐질

당신 정말 내가 받았던
KGB의 혹독한 훈련을
받은 사람 맞아?

당장 가서
찾아와요!!

빅토르 아저씨도 증거를
찾으러 오신 거예요?

그, 그, 그럼!
당연하지!

흠…….

우리 이걸로 상황을 한번
재현해 보는 게 어때!

앗, 팡이 너!
그 모조품을
가져온 거야?!

도 박사님이 허락하셨어!
온갖 첨단 기기로
조사를 마쳤으니
이제 수사에 사용해도 된대.

좋아, 그럼 내가
재현해 볼게.

뭐? 내가
할 거야!

이상한 낌새?!

아아아아...

일단 한번 줘 봐!

싫어! 왜!

그래요! 소품실 근처에서 수상한 사람이 눈에 띄었다던가…….

아, 생각났다.

공연 전날 리허설을 마치고 소품실 뒤에 있는 연습실에서 혼자 연습을 했는데…….

누굴 봤어요?

밤늦게 아주 시끄러운 소리가 났어요. 아……!

쿠당탕탕

!!

딱 저 소리랑 똑같았어요.

쿠당탕탕

맞아! 이건 진짜 왕관에서 떨어진 문장이야!

어서 도 박사님께 가져가야겠다!

잠깐!

이건 보안 책임자인 내가 가져가마.

제가 발견했어요!

손 치워!!

그마안—!!

러시아의 역사

키예프 공국

구석기 시대부터 유럽을 비롯한 러시아 전역에 살고 있던 사람들은 기원전 3세기경부터 농경 목축 생활을 하기 시작했습니다. 최초로 결성된 고대 국가 '루시'는 9세기 초 바이킹 출신의 용사 류릭이 세운 나라로, 현재 러시아는 '루시인의 나라'라는 뜻입니다. 수도를 키예프로 옮긴 이후에는 키예프 공국으로 불리며 세력을 확대시켜 나갔고, 988년 블라디미르 1세는 그리스 정교를 국교로 정하고 서유럽의 국가들과 동맹을 맺으며 최초의 법전을 만들어 러시아의 왕족 체제를 이루어 영토를 넓혀 갔습니다.

'루시'는 우리 바이킹 일족의 이름이지 !!

모스크바 공국

13세기 초에 생겨난 모스크바 공국은 15세기에 몽고군을 러시아 땅에서 몰아 내는 데 성공합니다. 이반 3세가 비잔틴 제국의 계승자로 인정받으며 모스크바 크렘린은 황실과 러시아 정교의 중심이 되었고, 러시아는 카스피 해와 시베리아 접경 지대까지 급속도로 영토를 확장시켰습니다.

©Wiki

표트르 대제(표트르 1세)
강력한 근대화 정책과 제도 마련으로 러시아 역사를 만든 인물로 불린다.

러시아 제국

1917년 러시아 혁명이 일어나기 전의 러시아를 러시아 제국이라 부릅니다. 특히 1613년부터 300년에 걸쳐 러시아를 지배한 로마노프 왕조는 러시아의 근대화와 계몽에 힘쓰며 당시 최강의 군대였던 나폴레옹과의 전쟁에서 승리하여 유럽의 강국으로 발돋움했습니다. 특히 표트르 대제와 예카테리나 여제의 서구화 정책은 현재 러시아의 거의 모든 제도와 문화 예술의 기초가 되었습니다.

소비에트 연방(소련)

19세기 러시아는 산업화를 비롯한 경제적인 변화를 겪으면서 국민들의 생활이 악화됩니다. 1914년 제1차 세계 대전에 참전한 뒤, 러시아는 군사력과 경제력이 한계에 다다르자 이를 충당하기 위해 군사를 강제로

레닌 10월 혁명의 중심 인물인 레닌은 소비에트 연방의 첫 번째 국가 원수이다. 현재 시신은 방부 처리 되어 붉은 광장에 보존되어 있다.

동원하였고, 군수품 생산이 강화되자 생필품의 생산이 줄어들어 민중의 생활은 더욱 궁핍해졌습니다. 결국 노동자들을 중심으로 1917년 2월, 혁명이 일어나 마지막 차르인 니콜라이 2세를 몰아 내고 세계 최초로 사회주의 국가를 세웁니다. 레닌을 비롯한 사회주의자들은 10월 혁명으로 정권을 획득하여 전면적인 공산화 정책을 펼쳤고, 러시아는 사유 재산제와 계급적 특권의 폐지, 예술과 문화의 엄격한 통제, 종교 억압 정책 등으로 사회적·문화적 변화를 겪습니다. 제2차 세계 대전 당시에는 일본과 전쟁을 벌여 북한과 사할린 및 쿠릴 열도까지 진출하며 승리를 얻지만, 국가 재산의 30%가 손실되는 막대한 피해를 입습니다. 전쟁이 끝난 후 1950년대 초에는 경제가 회복되고, 동유럽과 중국의 공산화가 진행되어 미국과 소비에트 연방을 양극으로 하는 '냉전 체제'가 시작됩니다. 소비에트 연방은 중공업이 발전하여 강력한 군사력을 가지면서 미국의 견제를 받기도 했으나, 갈수록 피폐해지는 경제와 관료의 부패, 공화국들의 독립 운동으로 1991년 붕괴되고 맙니다.

난 첫 대통령으로서 페레스트로이카 (개혁)와 글라스노스트 (개방)라는 정책을 폈지만, 결국 소비에트 연방은 붕괴 되었지.

고르바초프 →

러시아 연방

소비에트 연방을 구성하던 공화국들은 해체 이후 러시아 연방을 중심으로 15개의 공화국이 독립, 러시아 연방이 포함된 독립 국가 연합(CIS)이라는 새로운 형태의 다당제 민주 국가로 발전하게 되었습니다. 넓은 국토에 다양한 민족이 거주하기 때문에 독립 이후 분쟁이 끊이지 않았지만, 오늘날은 주변국들과 협력하며 다양한 외교적 노력을 기울이고 있습니다.

그런데 이 구릿한 냄새는 뭐냐?

큭큭, 그건 말이죠~!

그, 그것보다 아빠! 이게 왜 떨어져 나왔을까요?!

깩!

왕관의 핵심 부분인 이 문장을 일부러 두고 갔을 리는 없을 테고, 아마 실수로 떨어뜨렸겠지.

이게 없는 걸 알면 범인이……

끄어어……

다시 찾으러 오겠군요!!

그, 그래! 바로 그거야!!

이 문장을 발견한 자리에 다시 갖다 두는 거야! 그리고 범인이 다시 이 문장을 찾으러 왔을 때 잡는 거지!!

하하하하

오!

그럴듯하군, 빅토르!

훌륭해!

ㄱ…그럼요!

하지만 그러면 문장이 위험…….

빅토르 아저씨 말야. 왠지 좀 이상해.

저만 믿고 문장을 맡겨 주십시오!!

실은 나도 좀 그래! 옛 KGB 요원에 경비 대장이 저런 유치한 방법을 내놓다니…….

음…….

잠시 후

자, 이렇게 두면 되죠?

좋아!!

이제 범인이 나타나기만을 기다리면 돼.

그래! 범인이 나타나면 내 특공 무술로 한 방에 잡으마.

3시간 후

씨익

이제야 잠들다니, 질긴 것들!!

쿠우

코아아

드러렁

후후후…….

우리 예상이 맞았어!
빅토르 씨가
범인이야.

그래!
어서 따라가
보자!!

맙소사, 진짜
잠들었잖아!

누나!
일어나!!

어머머머 !
봉팔씨~♪ 내가
그렇게 좋아요~
음냐 음냐~

상트페테르부르크 역

두리번-

기차로 어딜 가려는 거지?

휙-

엥? 모스크바에 있는 역 이름이 어째서 상트페테르부르크 역이야?

휙-

러시아에서는 기차역에 그 지방 이름이 아니라 도착하는 곳의 이름을 붙인다고.

하암

상트페테르부르크에 가면 모스크바 역이 있어.

그런데 8시간이나 걸리는 상트페테르부르크에는 왜 가는 걸까?

그러게?

문장을 가지고 어딜 가겠니? 당연히 왕관이 있는 곳이겠지!

그렇지~! 어서 따라가자!

야야! 같이 가!!

다다다다다

상트페테르부르크

오~!

굉장해!

모스크바가 러시아의 심장이라면 상트페테르부르크는 러시아의 머리라더니. 도시 전체가 문화유산이라 그런지 정말 아름다워!

그래, 도시 전체가 예술품 같아! 이렇게 아름다운 도시를 세우다니, 표트르 대제는 정말 대단해!

둘 다 뭐 하는 거야?! 정신 똑바로 차려. 이러다 놓치겠어!

빅토르가
누군가를 만났어!

역시 공범이
있었군!

어두워서 얼굴이
잘 안 보여!

여름이라면 충분히
볼 수 있었을 텐데,
아쉽다!

뭐? 넌 여름에
눈이 더 밝아지냐?

러시아에는 여름이 되면
밤 11시까지 해가 지지 않는
백야 현상이 일어나거든!

6월~9월
11시

아. 자동차 불빛이다!

좋았어!

얼굴이 보인다!

보, 봉자바!!

뭐?!
네가 미국에서 당할 뻔했다는 봉팔이 사촌 누나?

그럼 내 시누이 될 분이잖아!

누나. 지금 그런 말이 나와?! 봉자바는 봉팔이보다 몇 배는 더한 악당이라고!

이번엔 제대로 가져왔군! 또 이런 실수를 하면 용서하지 않겠어요!

뭐라고?!

옛 스승에게 너무하는군! KGB 출신인 내 덕에 CIA로 위장할 수 있었다는 거 잊었어?!

시끄러워요!!

그것만 아니었으면 당신은 벌써 해고라고요!

와, 왕관이다!!

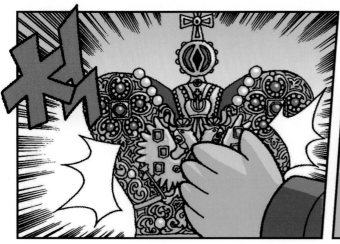

좋아, 딱 맞군! 수고했어요, 빅토르!

크렘린

모스크바의 크렘린은 12세기에 목조 요새로
만들어졌습니다. 그러나 1382년 타타르족의
침입으로 모두 불타 버렸고, 15세기에 이반 3세가
이탈리아의 건축가들을 불러 러시아 전국을
둘러보고 러시아의 건축 양식으로 짓게 한 것이
바로 오늘날의 크렘린입니다. 성곽과 내부 주요
건물들은 백여 년에 걸쳐 복원되었으며,
스무 개의 크고 작은 고딕 양식 탑, 바로크와
로코코 양식을 대표하는 네 개의 대성당과 성벽
등으로 이루어져 있습니다.

성벽과 망루 2,235m나 되는 크렘린의
주위를 둘러싸고 있으며 1,045개의
총안(銃眼, 총을 쏠 수 있도록 뚫어
놓은 구멍)이 있다.

◀◀**블라고베시첸스키 대성당**
황제의 개인 예배 사원으로
1484년~1489년에 걸쳐 건축되었다.
뒤에 보이는 것은 크렘린에서 유일한
현대식 건물인 대회 궁전이다.

◀**구원의 탑** 꼭대기에 있는 별까지의
높이는 71m이며, 탑에는 노래 시계가
있어 국가적으로 중요한 일이 있을 때나
크렘린 보초들의 교대 시간에 울린다.

대 크렘린 궁전과 성벽 1812년에 불에 탄 후 재건되었고 구라노비타야 궁전, 황후 황금 내실,
체르무노이 궁전 등이 있으며 700여 개의 객실에 2만여 개의 촛대로 장식되어 있다.

겨울 궁전

겨울 궁전은 러시아의 마지막 여섯 황제가 살았던 장소이며, 현재는 세계적으로 유명한 에르미타슈 미술관으로 알려져 있습니다. 바로크 양식의 겨울 궁전과 신고전주의 양식의 에르미타슈는 상트페테르부르크를 대표하는 궁전이기도 합니다. 18세기 중반에 표트르 대제의 딸 엘리자베타 여제의 명으로 지어졌으며, 예카테리나 여제가 수집한 미술품을 보관하기 위해 겨울 궁전 옆에 '은자의 집'이라는 뜻의 에르미타슈가 지어졌습니다.

에르미타슈 미술관의 4백 개 전시관에는 250만 점의 작품이 전시되어 있어 이곳의 소장품을 모두 관람하려면 1주일 이상이 걸린다고 합니다.

©Shutterstock

겨울 궁전 내부 황제의 대관식을 거행하던 방으로, 방 중심에 쌍두 독수리 문장이 드리워져 있다.

©Shutterstock

에르미타슈 미술관 1,050개의 방과 2천여 개의 창문, 120개의 계단이 있으며 방의 총면적은 4만 6천㎡, 지붕 위에는 176개의 조각품이 서 있다.

도토리묵, 여기서 다시 만날 줄이야……!

봉자바! 아직도 이런 짓을 하다니, 혼이 덜 났군!

너, 너희들! 분명히 자고 있었잖아!!

훗.

미행당해 놓고 이제 와 그런 말이 나와요?!

빅토르 씨가 마음놓고 범행을 하도록 일부러 빈틈을 보인 거예요.

이런 걸 함정 수사라고 하죠.

이제 증거도 확실하니 순순히 보물을 내놓으시지!!

으악!!

운송선이 들어오는
시간인가 봐!
그러면 네바 강의 다리가
일제히 올라간다고!!

운송선?
이렇게 꽁꽁 언 강에
어떻게 배가 다녀?!

쇄빙선이라니?
배가 얼음을 깨고
들어온다는 거야?

그래서 러시아는
쇄빙선 기술이
발달했잖아!

우아~!
정말이잖아?!

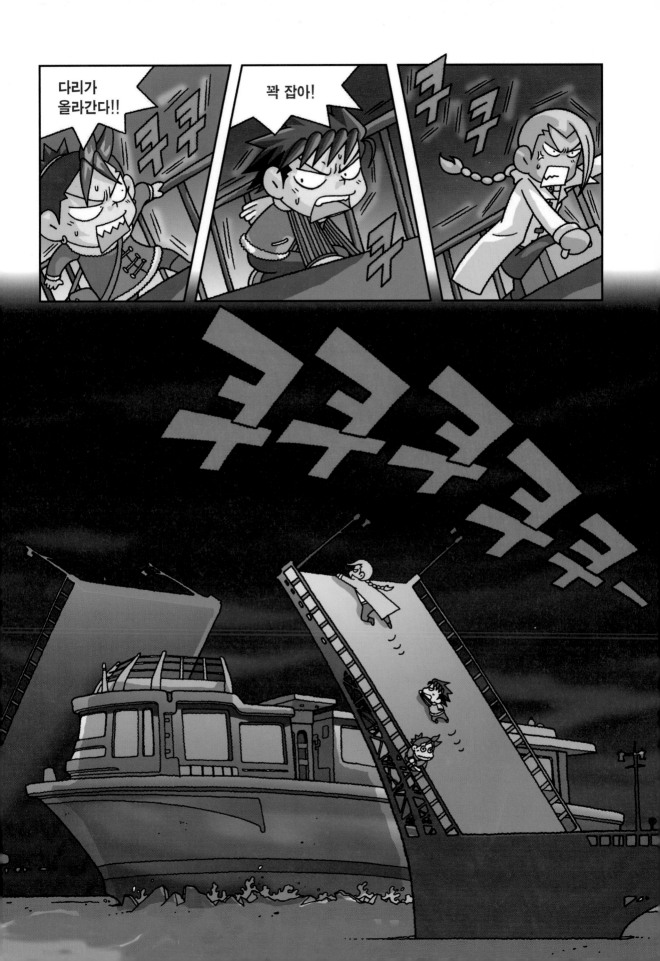

난 바빠서
먼저 가마~!

으아아악~!

토리야!!

봉자바, 거기 서!!

이야아압!

컥!

뭐, 뭐야?!
이거 놔!

꽉!

이러다 둘 다
죽는다고!

죽어도 못 놔!
어서 왕관을
돌려줘!!

그래?
정 그렇다면
할 수 없지!

뭐, 뭐 하는 거야?
안 돼!!

으아아악!!

러시아의 생활 문화

러시아의 문화에는 러시아인의 여유로운 성격과 1년의 반을 눈과 추운 날씨 속에서
보내는 냉대 지방의 문화적 특성이 잘 나타나 있습니다.

다차

통나무로 만든 집과 텃밭이 딸린 주말 농장으로, 러시아 도시인의 70%가 다차를
소유하고 있으며 이곳에서 가족들과 농사를 짓고 휴식을 취합니다. 다차 문화는
19세기 러시아 제국 시대부터 내려온 전통으로, 1970년대 말 러시아 정부가
다차를 갖고 싶어 하는 직장인들에게 각각 600m²의 땅을 무상으로 분배하면서
러시아인의 삶 깊숙이 자리잡았습니다.

바냐

바냐는 사우나를 즐길 수 있는 러시아의 대중목욕탕입니다.
사우나를 좋아하는 러시아인들은 바냐에서 피로를 푸는데,
벽 한쪽에는 난로가 있어 물을 부어 김이 나게 하거나
맥주를 부어 맥주 특유의 냄새를 즐기기도 합니다. 또한
혈액 순환과 노폐물 배출을 위해 자작나무 가지로 젖은
몸을 두드리는 풍습도 있습니다.

러시아의 샤프카 상점 샤프카는 추위뿐만 아니라
건물에서 떨어지는 고드름과 얼음을 막아 주기도 한다.

샤프카

샤프카는 모피로 만든 털모자로, 모자를
쓰지 않으면 뇌에 치명적인 손상을 입을
만큼 추운 러시아의 날씨에 꼭 필요한
물건입니다. 가격에 따라 개털로
만들어진 것부터 은빛 여우털로
만들어진 것까지 다양한 종류의
샤프카가 판매됩니다.

사모바르

사모바르는 18세기 러시아에서 만들어진 것으로, 찻물을 끓일 때 쓰는 금속 주전자입니다. 아래에 수도꼭지가 달려 있으며 중심에 있는 통에 달군 숯을 넣거나, 장작으로 불을 피워 물을 끓입니다. 모양은 일정하지 않으나 화병 모양인 것이 많고 보통 철제에 은, 구리, 주석 등으로 장식합니다.

러시아의 음식 문화

영토가 광활한 러시아에서는 각 지역마다 다양한 민족의 요리를 맛볼 수 있습니다. 러시아 요리는 지역마다 차이가 나지만 일반적으로 전채, 수프, 따뜻한 요리, 후식, 음료수 등으로 나눌 수 있습니다. 전채로는 철갑상어 알인 캐비어와 청어 절임, 스프로는 양배추를 끓여 토마토를 넣은 보르쉬, 생선을 우려낸 우하 등이 있으며, 쇠고기를 소스와 함께 끓인 비프 스트로가노프, 양고기를 구워 만든 샤실리크 등이 대표적입니다.

흑빵과 올리비에 샐러드 흑빵은 러시아인의 식사에 빠지지 않는 것이며, 러시아식 샐러드는 기후의 특성상 날것으로 먹기보다 절이거나 볶은 것이 많다.

러시아 인에게 꼭 필요해!!

보드카

러시아를 상징하는 술로 알코올을 40% 이상 포함한 독한 술입니다. 러시아의 추운 날씨를 견디기 위해 몸을 따뜻하게 데우려는 목적으로 많이 마시지만, 러시아에 알코올 중독자가 많아진 원인이기도 합니다. 그러나 러시아인이 가장 즐기는 술이며, 전 세계적으로 가장 많이 마시는 술이기도 합니다. 러시아인 한 명이 1년에 소비하는 보드카의 양은 60병에 달한다고 합니다.

제 7 장

이콘 속에 숨은 비밀

이 끈질긴 녀석!
어서 말해!!

지, 진짜로
몰라!

난 훔쳐다 주는 것까지만
하기로 했다고! 또 알아도
말했다가는 봉자바에게
암살당하고 말 거야~!

이이익~!
아직도 정신을
못 차렸군!!

누나~!
이것 봐!

아니,
놓쳐 버렸어.

잡았어?!

하지만 이것 봐.
봉자바 옷에서
나온 거야!

이, 이건…….

보, 보드카……. 한 모금만 줘…….

아직 정신을 못 차렸군! 지금이 술타령이나 할 때야?

누나, 그만 해!

러시아 사람들에게 보드카는 물 같은 거란 말이야!!

맞아, 보드카의 어원도 바로 '물'이야.

국교를 이슬람 교가 아닌 러시아 정교로 택한 것도 이슬람 교가 술을 금지하기 때문이라잖아. 그만큼 러시아인들의 술에 대한 애착은 대단하다고!

그래?!

그렇다면 당장 사 와야겠군!

우리가 더 악당같애!!

보드카는 내 운명!

VODKA CRUISER

잘 봐. 열차와 호수 그림,
날짜와 시간까지 적혀 있잖아!
봉자바도 꽤 똑똑한걸!

어, 어디?
뭘 어떻게 보라고?

매직 아이로
보는 건가?

에에엥...

수우우...

지금 뭐
하는 거야?!

매직 아이
보는 거야!

아, 깜박했다.
두 사람은 나 같은
천재가 아니지?

평범한
IQ를 가진
사람들을 위해서
다시 맞춰 주지!!

이건 시베리아 횡단 열차야!

시베리아 횡단 열차?!

러시아는 세계에서 가장 긴 철도를 가지고 있어서 철도의 왕국이라 불리지!

총길이 14만km 지구 3바퀴 반

그럼 이 날짜는 열차가 출발하는 날이구나!

그래!

시베리아 횡단 열차는 러시아에서도 가장 긴 철도로, 종착역까지는 무려 1주일이나 걸린다고.

아얏! 이럴 수가!

너희 바보 아니냐? 러시아에는 전통적인 달력이 따로 있는데~.

맞아!

러시아도 우리와 똑같은 그레고리력을 사용하지만, 중요한 종교 행사에는 아직도 율리우스력을 사용해!!

누가 바보야?

율리우스력은 그레고리력보다 13일 느리지! 오늘이 24일이니까, 37일? 아니……

BINGO

24+13 =37!!

토리 너, 아이큐 180 맞냐?! 13일이 느리면 그레고리력의 11일은 바로 오늘이잖아!!

오, 오늘?!

그래, 오늘! 봉자바는 지금 시베리아 횡단 열차를 타러 간 거야!!

114

이럴 때가 아냐!
당장 기차를 타야 해!

그래,
서두르자!

음냐~,
나도 같이 가~.

그쪽은
반대 방향이잖아!!

기다려라, 봉자바!
상금은 내 거야~.
보물을 찾아라!
으하하하~!

정신 차려!

바보
맞잖아
!!

러시아 정교

러시아 정교는 비잔틴으로부터 동방 정교회를 들여와 국교로 정한 후,
많은 변화를 겪었음에도 불구하고 천 년 이상의 오랜 역사를 자랑하고 있습니다.
988년 블라디미르 대공은 다양한 종교가 퍼져 있던 러시아의 안정과 통일을 위해
동방 정교회를 국교로 선택합니다. 동방 정교회는 러시아의 민간 신앙과 비슷한
성격을 갖고 있었기 때문에 러시아 정교로 계승되면서 국가의 발전과 함께 민족과
국가의 종교로서 다양한 형태의 문화로 성장합니다.

러시아 정교의 성당

성당 건축은 러시아 정교가 국교로 지정된 이후 황실의 적극적 지원 아래 지속적으로
이루어졌으며, 시대와 역사에 따라 다양한 건축 양식과 특징을 보여 줍니다.

우스펜스키 대성당

모스크바의 우스펜스키 대성당은 이탈리아의
유명한 건축가 피오라반디가 블라디미르의
우스펜스키 대성당을 모방하여 1479년에
건축한 것입니다. 대성당의 벽과 지붕은
프레스코화 이콘으로 장식되어 있으며, 이곳에
성화를 그리기 위해 무려 1천 명이나 되는
화가들이 동원되었다고 합니다. 12세기의 성
게오르기 상과 13세기~14세기의 삼위일체
상이 유명하며, 나폴레옹 군대가 퇴각할 때
훔친 300kg의 금과 5톤의 은을 되찾아

우스펜스키 대성당 5개의 양파 모양 지붕이
인상적인 우스펜스키 대성당은 크렘린 안에
있는 4개의 성당 중 가장 오래되었다.

만들었다는 샹들리에가 있습니다. 러시아에서는 국교 대성당이라고도 부르며
이곳에서 황제의 대관식과 모스크바 총주교의 장례식을 치르기도 했습니다.

©gurami

테트리스에 나오는 성당이잖아!

성 바실리 성당 모스크바 붉은 광장에 있으며 16세기 러시아의 집중식 성당 건축의 최고봉으로 일컬어지고 있다.

성 바실리 성당

러시아에서 가장 잘 알려진 건축물 중 하나로 높낮이와 모양이 서로 다른 아홉 개의 양파 모양 지붕으로 구성된 성당입니다. 이반 대제는 몽고군에게 승리한 것을 기념하기 위해 설계를 명하였는데, 1561년에 성당이 완성되자 그 아름다움에 탄복하며 두 번 다시 똑같은 건물을 짓지 못하도록 설계자들을 장님으로 만들어 버렸다고 합니다. 비잔틴 양식과 양파 모양의 작은 돔, 추운 날씨와 폭설에 견딜 수 있는 좁은 창문과 경사가 가파른 지붕을 가진 바실리 성당은, 러시아의 전통적 목조 건축술과 더불어 비잔틴과 서유럽에서 유입된 석조 건축술이 절묘하게 결합된 가장 러시아적이며 세계적인 건축물입니다.

부활절 달걀

러시아 정교의 영향으로 만들어진 부활절 달걀 역시 러시아에서는 빼놓을 수 없는 종교 관습입니다. 특히 러시아 보석 공예가인 파베르제가 만든 러시아 황실의 부활절 달걀은 화려한 보석과 정교한 장식으로 유명합니다.

먹는 게 아니야! 먹고 싶어!

대관식 달걀 1897년 니콜라스 2세가 황후 알렉산드라 페오도로브나에게 선물한 것으로 약 288억 원에 달한다.

제 8 장
시베리아 횡단 열차를 타고

바이칼 호,
이 기차야!

초대장의 호수는
러시아에서 가장 큰
호수인 바이칼을
뜻하는 게 분명해!

우리가 경매 장소를
알아 낸 건 모를 테니
이번에는 꼭 잡을 수 있어!

자! 모두 흩어져서
봉자바를 찾자!

알았어!

뭐야?!

웬 놈이냐?!

누가 감히
우리 잠을
방해해?!

죄, 죄송합니다!!

이...
이상한
기차야!

저쪽에는 없었어!

여, 여기도…….

이…….

무슨 손님이 저래?

대체 어디 숨은 거야?! 찾기만 해 봐. 절대 가만두지 않겠어!

이제 이 두 칸이 마지막이야.

좋아!

독 안에 든 쥐라고!!

뭐냐?!

여긴 할아버지밖에 없잖아?!

두리번 두리번

너, 너희들은 뭐냐?! 이 칸은 내가 통째로 빌렸어!

와~, 멋진 가방이네요.

너희들이 무슨 상관이야! 당장 나가!!

이 거머리 같은 것들!!

뻥 뻥

거머리……?

성격 정말 이상한 할아버지네! 목소리도 괴상하고!

당연하지.

그나저나 여긴 2인실인가 보네. 비싸겠다.

시베리아 횡단 열차는 며칠씩 계속 달리기 때문에 침대칸이 달려 있어.

각 칸마다 이름도 다르고 요금도 다르지. 2인실이 제일 좋고 비싼 객실이야.

페르비클래스
(룩소)
2인 침대칸

꾸페
4인 침대칸

플라츠카르타
6인 침대칸

시드
6인 좌석칸

마지막 한 칸 남았어! 분명히 여기 있을 거야!

이번엔 동시에 달려들어 무조건 공격하자고!

그러니까 이 열차에 유물을 훔친 범인이 타고 있단 말이구나?

네, 하지만 다 뒤졌는데도 못 찾았어요.

그런데 두 분은 무슨 일로 기차를 타셨어요?

하하, 우리는 이 열차 안에서 열리는 경매의 초대장을 받았단다.

열차 안에서 경매를 한다고요?!

그래, 무슨 물건인지는 모르지만 그래서 더 스릴 있고 재밌잖아~? 결혼기념일 기념 여행도 되고 말이야. 그렇죠~, 여보~♡

그럼그럼~.

그런데 초대장도 이상한 수수께끼로 가득 차 있더구나.

아얏! 그건 봉자바의 초대장!!

아까 저희가 말한 범인이에요! 훔친 왕관을 경매에 부치려는 거라고요!

봉자바?!

이럴 수가! 내가 훔친 왕관의 경매에 참여할 뻔했다니!

굉장해, 이런 유명 인사를 초청하다니! 봉팔 씨의 사촌다워~.

누나!

나한테 잘 보여야 할걸!

그럼 그 경매가 이 열차 안에서 열리는 건가요?

실은 그건 나도 잘 모르겠어.

율리우스력과 시베리아 횡단 열차, 바이칼 호수가 종착역인 바이칼 호, 그리고 물고기 오물!!

오물?!

물고기가요?

오물은 물고기 이름이야. 바이칼 호수는 세계에서 가장 깊은 호수로, 크기도 대한민국 면적의 3분의 1이나 된단다. 따라서 민물에서 살 수 있는 지구상의 모든 동식물이 서식한다고 할 수 있지.

물고기 오물과 민물에서 사는 바다표범 네르빠는 바이칼 호수에서만 사는 희귀종으로 유명하단다.

네르빠

3만 1500km²

바이칼호

오물

∥귀여워∥

남은 것은 장소, 바로 오물이 단서야. 이것만 풀면 왕관을 찾을 수 있어.

오물이 뜻하는 장소라면 한 군데밖에 없잖아. 바로 화장실이지!

그… 그것도…

개그 라고…!!

지금이 장난할 때야?!

넌 유머도 모르냐?!

엇?!

열차가 섰어!

와, 먹을 거다!

그래, 각 역마다 이렇게 음식을 판다. 우리도 내려서 뭘 좀 먹자.

그래! 오물은
음식을 뜻하는 거야!!

오물이
음식?!

마지막 장소를 뜻하는
오물은 음식이잖아.
열차 안에서 음식과
관계된 장소는……

오물
= 음식
음식 = ?

식당차!!

어서 식당차로 가자!

바로 여기야!

드디어 잡았다!!

철도 왕국 러시아

러시아 철도는 광활한 영토에 필요한 군사·경제적인 이동 수단으로서 발전했으며, 그 길이가 총 14만km에 이르러 러시아를 세계 최대의 철도 왕국이라 불리게 했습니다. 열차의 종류는 스코라스누이(특급), 스코루이(급행), 빠사자르스키(여객 열차) 세 가지가 있고 침대차와 좌석차로 분류됩니다.

시베리아 횡단 열차

시베리아 횡단 철도는 유럽의 모스크바와 아시아의 블라디보스토크를 잇고 있으며, 총 길이 9,334km로 지구 둘레의 4분의 1에 가까운 거리입니다. 지나가는 주요 역만 59개로, 기차를 타고 가는 동안에도 시간대가 일곱 번이나 바뀌는 세계에서 가장 긴 철도입니다. 1891년 황태자 니콜라이 2세가 시베리아 횡단 철도 위원회를 조직해 공사를 시작했으며 착공 25년 만에 완공되었습니다.

이 철도가 건설되면서 자원의 보고인 시베리아 개발이 본격적으로 진행되었으며, 철도를 중심으로 대도시가 잇따라 생겨나는 등 문화적으로도 크게 변화했습니다.

시베리아 횡단 열차는 블라디보스토크에서 시작하여 하바로프스크를 거치는 노선과 베이징에서 시작하여 몽고의 울란우데를 거쳐 이르쿠츠크를 향하는 두 가지가 있습니다.

시베리아 횡단 열차 모스크바에서 블라디보스토크까지 6박 7일 동안 달리며, 우랄 산맥과 시베리아 초원 지대를 가로지른다.

바이칼 호수

시베리아 횡단 열차가 지나는 역 중 가장 많은 사람들이 찾는 바이칼 호수는
세계에서 가장 깊고, 깨끗하고, 많은 담수량을 가진 호수입니다. 초승달 모양으로
크기는 남한 면적의 3분의 1인 3만 1,500km²이며, 폭이 가장 넓은 곳은 79km로
호수 안에는 18개의 섬이 있습니다. 깊이 1,742m인 이 호수의 수량은 세계 민물의
20%, 세계 식수의 80%에 달하는 것으로 인류 전체가 40년은 먹을 수 있는
양이라고 합니다. 보통 호수의 평균 수명이 3만 년 정도인 데 비해, 바이칼 호수는
이에 800배가 넘는 2,500만 년 정도 되었으며, 이 호수의 주변에는 민물에서 살 수
있는 지구상의 거의 모든 동식물이 서식하고 있습니다. 이곳에서 사는 약 2,600여
종의 동식물 중 3분의 2는 바이칼 호수에서만 사는 희귀종들로, 민물 물개인
네르빠와 장수 물고기인 오물도 바이칼에서만 볼 수 있는 희귀 생물입니다.
영하 40℃까지 내려가는 시베리아의 겨울에는, 바이칼 호수도 얼어붙어 150cm
정도 두께의 울퉁불퉁한 얼음 바닥을 형성하여 그 위로 자동차가 다니고 교통
표지판까지 설 정도라 합니다. 이런 다양한 특성 때문에 얻게 된 바이칼이라는
이름은 타타르어로 '풍요롭다' 라는 뜻이며, 바이칼 호수는 '시베리아의 푸른 눈',
'땅의 오아시스', '세계 민물의 보물 창고', '염분 없는 바다' 등의 다양한 별명을
갖게 되었습니다.

위성으로 본 바이칼 호수
한때 투명도가 40.5m나 되는 등
청정도를 자랑했으나, 최근 시베리아의
개발로 오염 문제가 심각해지고 있다.

제 9 장
경매장
습격 사건

뭘 잡아?!

떵!

여기 도둑맞은
왕……!

뭐? 도둑?!

좋았어!!

알아뵙지 못해
죄송합니다.
어서 들어가시죠!

쩡긋

Yes!!

일단
왕관이
나타나길
기다리자!

경매를 위해 철저히
준비했나 봐.

여기 참여한 사람들도
보통 사람들이
아닌 것 같아!

앗. 저 할아버지는?!

철컥

오래 기다리셨습니다.

제가 초청장을 보낸 서른 분 중, 수수께끼를 풀고 이곳까지 오신 건 딱 다섯 분이군요!

아, 저 사람은 차기 러시아 대통령 자리를 노리는 장관이야!

그리고 저 여자는 고고 유물계의 큰손으로 러시아 유물은 모두 저 사람 손을 거친다고 하지.

저 사람들은 보아하니 러시아와 투쟁 중인 체첸 독립군이군!

헉! 저쪽은 러시아의 암흑가를 다스리는 마피아!!

굉장하다!

저런 사람들 중에 아저씨도 있다니, 대단해요!

하 하 하

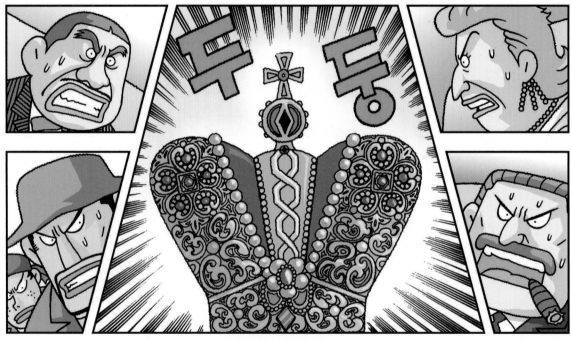

러시아를 가질 수
있다고 해서, 우린 체첸이
러시아에서 독립할 수
있을 만한 최신식
무기인 줄 알았는데!

겨우 이런
보석 나부랭이를
내놓다니!

우리가 이런 걸 사려고
암호 전문가까지 동원해서
이 경매에 참여한 줄 알아?!

투 투
투 투 투 투

튀
튀

하나만 알고
둘은 모르면
가만히 있어!

응?

현재 러시아가 유럽으로 열린 창인 동시에
예술의 나라로 불리게 된 건 두 명의 위대한 황제,
표트르 대제와 예카테리나 여제의
업적이라고 해도 과언이 아니야.

그리고 이건 그 중 한 명인
예카테리나 여제의 왕관이라고!

예카테리나 여제

그게 어쨌다는
거야?!

139

이제 총칼로 하던 전쟁은 끝났어!

러시아를 대표하는 유물인 이 왕관으로 러시아를 갖는다는 자부심은 물론, 러시아 정부와 협상할 때 이용할 수 있을 거란 생각은 못했나?

그, 그렇군!

아니, 그런데 쌍두 독수리 문장이 빠졌잖아!!

러시아를 상징하는 그 문장이 없는 왕관은 한낱 화려한 보석 모자에 불과하잖아!!

차기 대통령으로 주목받는 나야말로 그 왕관에 제일 잘 어울린다고!

장관 아저씨!

내게 팔아요! 해외에서 더 비싸게 팔아넘길 수 있어!

유물상 아줌마까지!

다들 비켜!!

철컹!

이 자리에서 계산해 주지. 내게 팔게!

오!!

봉자바?!

들켰군!

당장 왕관을 내놓고
항복해!!

어림없는 소리!
멍청한 줄 알았는데
꽤 눈치가 빠르구나!

146

얏호ー!

우리도 가자!
뛰어내리는 거야!

뭐?!

마침 좋은 게 있군.
이걸 이용하면 돼!

안 돼! 고작
스케이트 보드로
뭘 하겠다고!

그래, 운동 에너지의
마찰 저항과 역학적
에너지 보존 법칙으로
크게 다칠 거야!

지금
그런 소리 할 때야?
무조건 말려!

자, 간다!

러시아 연방

러시아는 다민족으로 구성되어 있어 민족간 융화가 잘 이루어지지 않습니다.
때문에 일찍부터 정부는 여러 민족을 강제로 융화시키기보다 자치를 허용하고
소수 민족의 고유 언어와 관습 등을 인정하면서 서로 간의 갈등을 줄이려는 정책을
펴 왔습니다. 러시아는 83개의 행정 단위로 구성되어 있으며 21개의 자치 공화국은
독자적 헌법과 의회, 내각 및 자체 언어를 보유하지만 독립국의 지위는 인정받지
못합니다. 때문에 체첸을 비롯한 여러 자치구들도 러시아로부터의 완전 독립을
요구하고 있어 지금도 갈등이 계속되고 있습니다.

독립 국가 연합

구소련 당시에는 우크라이나, 카자흐스탄,
리투아니아를 비롯한 발트 해 연안 3국
등 민족과 언어가 다른 15개의 공화국이
소련을 구성하고 있었지만, 1991년
소련이 해체되면서 이들은 각각 독립되어
현재는 12개의 독립 국가 연합으로

분리되었습니다. 각 공화국은 독립국으로 독자적인 법률, 정치, 외교의 권한을
가지고 있습니다.

카자흐스탄
독립 국가 연합 중 두 번째로 큰 국가이며, 풍부한 자원으로 발전 가능성이 큰
나라입니다. 농업 인구가 많은 편이지만, 최근에는 기술자와 전문직 종사자도 꾸준히
증가하고 있습니다. 러시아의 강제 이주 정책과 농업 이민으로 약 120여 민족이
살고 있습니다.

우즈베키스탄
우즈베키스탄 역시 125여 민족이 사는 다민족 국가로, 서로 다른 언어권의 의사 소통
문제와 러시아 정부의 정책으로 러시아어를 쓰기도 했지만 현재 국가 공용어는
우즈베크어입니다. 세계적인 양의 금과 천연가스를 보유하고 있습니다.

키르기스스탄
키르기스스탄은 동서 900km, 남북 410km의 비교적 짧은 거리임에도 지형의 변화가 많은 산악 국가로, 중앙아시아의 스위스라는 별칭을 가지고 있습니다. 산지가 92%에 평야가 8% 정도이며, 농지는 전 국토의 7%에 불과합니다. 유목민의 전통을 중시하며 부족주의가 발달해 북부와 남부의 문화 차이가 큽니다.

우크라이나
수도인 키예프는 860년부터 역사가 시작되어 12세기 초까지 러시아의 수도였습니다. 현재 우크라이나는 유럽에서 가장 큰 과학 중심지 중 하나이며 키예프에는 국립 과학 아카데미를 비롯한 32개의 박물관, 33개의 극장, 116개의 영화관이 있어 문화의 중심으로 불리고 있습니다.

벨라루스
벨라루스는 'White Russia(하얀 러시아)'란 뜻으로 예전에는 백러시아라고도 불렸습니다. 나라 이름에서도 알 수 있듯이 주민들은 흰색을 좋아하여, 흰옷을 즐겨 입고 집도 하얗게 칠합니다. 인종적으로도 백인이 많으며 흰 피부와 회색 눈동자를 가진 사람이 많다고 합니다.

우리나라와 러시아

러시아 제국은 1860년 중국과 베이징 조약으로 극동 연해주 지역의 영토를 확보함으로써 우리나라와 국경을 접하게 되었습니다. 한인들은 1863년 처음으로 국경 너머의 근방으로 이주하기 시작했고, 러시아에 거주하는 한인들은 고려 사람이라는 뜻의

'까레이스키'라고 불리게 되었습니다. 1937년 러시아의 강제 이주 정책으로 한인의 3분의 2가 중앙아시아 지역에서 생활하게 되었고, 현재 교민 10만여 명과 체류자 2천여 명이 살고 있습니다. 우리나라는 1990년 9월, 당시 소련이었던 러시아와 첫 수교를 맺고 극동과 시베리아 지역의 자원 개발 분야를 비롯해 첨단 기술의 공동 연구 및 인력 교류, 금융 투자 등 다양한 분야에서 경제 협력을 하고 있습니다. 러시아는 인구 1억 3,808만의 방대한 국내 시장과 풍부한 자연 자원, 뛰어난 기초 첨단 과학 기술을 보유하고 있으므로, 앞으로도 양국간의 교류 발전과 그 잠재력은 매우 클 것으로 예상됩니다.

제 10 장

영하 40도의 대추격

봉자바가 여기 이르쿠츠크에 있을 거라고?

그래! 기차의 종착지도 여기고, 이 추위에 오토바이로 멀리 가진 못했을 거야.

우아, 진짜!
나무들이
몽땅 얼었어!

어유, 추워! 역시
시베리아 쪽은 다르네,
저 나무들 좀 봐.

하이잉!

후아아

저건 나무가 언 게 아니라
공기 중의 수분이나 안개가
나뭇가지에서 얼어붙은 거야.
수빙(樹氷) 현상이라고 하지.

안개가
얼 정도면
정말 추운 거잖아!

우리도
저 샤프카랑
장갑 사자!!

아저씨, 샤프카랑 장갑 주세요!

아니, 아가씨는 방금 제일 비싼 걸로 사 갔잖아. 또 사려고?

네?!

제가 언제요? 전 지금 막 이곳에 도착했다고요!

아저씨가 다른 동양인 누나랑 착각했나 봐.

그래, 우리는 그리스에서 쌍둥이라는 말까지 들었는걸.

여… 머리가 커서 잘 안 들어가!

저처럼 개성 있는 미인이 또 어디 있다고 그러세요?

자세히 보세요!

응?!

158

그러고 보니 오토바이가 없네.

오, 오토바이?!

그, 그럼 나와 닮았다는 아가씨가!

봉자바?!

자세히 보니 좀 다른 것 같군.

음…

아, 이몬가? 아니면……, 엄마?

이모?

엄마?!

휘이이잉

내 어디가 그렇게 늙어 보여요?!

쿠아

그, 그럴 리가~.
그럼 모두 같이 들어가서
기다리자, 호호……

당연히 그래야지!

문은 여기
하나밖에 없으니까
여길 지키면 돼!

어서 오세요!

어? 이건
열차에서도 본 거야.
난로 같은데 물이
나오잖아?

이건 러시아식
주전자인 사모바르란다.
아래쪽에 불을 지펴
물이 끓으면 이렇게 차를
끓여 먹는 거야. 자, 다들
한 잔씩 마시렴.

와~, 고맙습니다!

따거

물

따거

그래~, 그러니까
파뤼 넌 이 왕관을 팔
준비나 하고 있어.

쳇!

거기 서!

앗, 뜨거!

히익~!

앗! 어느 새 눈이 이렇게 쌓였지?!

게다가 봉자바는 왜 저리 빠른 거야?!

눈에 발이 빠져서 점점 쫓아가기가 힘들어!

안 돼, 이번에 놓치면 정말 끝이야!

팡이야, 잠깐!
이 트람바이를
타고 가자!

트람바이는 속도가
빠르지 않아서
차가 달리는 중에도
올라탈 수 있다고.

좋았어,
봉자바 쪽으로
가고 있어!

기다려!
나도 타야지!

빨리 와,
누나!

이제야 떨궈 냈군. 암만 거머리 같은 녀석들이라도 KGB의 특수 훈련을 받은 날 따라올 순 없지!

코크크···

응?

쳑!

따라왔지롱~!

이, 이런! 트람바이를 타고 오다니?!

어서 왕관을 내놓으시지!!

거머리보다 더 끈질긴 녀석들이야!!

두두두두ー

트람바이와 다른 쪽으로 가잖아?!

따라잡아야 해! 어서 뛰어내려!

그래!

자, 잠깐!

왜?!

무슨 일이야?!

손이 손잡이에
붙어 버렸어!

손이 붙다니?!

어째서 내 손만
붙은 거야?!

팡이 손

토리 손

이조교 손

이럴 수가!
맨손으로 쇠봉을 잡고 있었어?!
시베리아 날씨는 영하 40℃까지
내려가서 공기 중의 수분도
언단 말야!

그래서?

차가운 쇠봉에
네 손 안의 열을 뺏기면서
손의 수분이 얼어붙는 거야.

그럼 어떡해야
하는데?!

유네스코 선정 러시아 문화유산

상트페테르부르크 역사 지구와 관련 기념물군(Historic Centre of St. Petersburg and Related Groups of Monuments : 문화, 1990년 지정)

상트페테르부르크는 1703년 표트르 대제에 의해 건설된 도시로, 로마노프 왕조의 수도이며 도시 전체가 문화유산으로 지정되어 있습니다. 발상지인 페트로파블로프스크 요새를 비롯하여, 세 개의 운하와 교차하는 넵스키 대로, 황제가 살았던 겨울 궁전과 여름 궁전, 수많은 다리 등은 잘 발달된 도시 계획과 신고전주의의 조화로운 건축 양식을 보여 주며, 유럽 예술의 축소판이라 불립니다.

페트로파블로프스크 요새 요새를 둘러싼 화강암 성벽은 35년에 걸쳐 완성되었으며, 요새 중앙에 있는 베드로(페트로)와 바울(파울로)을 기념하는 교회의 이름을 따 요새의 이름을 지었다.

키시 섬(Kizhi Pogost : 문화, 1990년 지정)

카렐리아 지방 남쪽 오네가 호수의 많은 섬들 중 하나인 키시 섬은 박물관 섬이라고도 불립니다. 특히 6층으로 이루어진 피라미드 모양의 프레오브라젠스카야 성당이 유명한데, 양파 모양의 지붕이 22개나 있어 매우 아름다울 뿐만 아니라 전통적인 통나무 건축법을

프레오브라젠스카야 성당 못을 한 개도 사용하지 않고 짜맞춤 기법으로 만든 동양식 성당으로, 전설에 의하면 단 한 사람이 도끼 한 자루로 만들었다고 한다.

이용해 추위를 견딜 수 있도록 설계되었습니다. 복잡한 나무틀을 세우면서도 못을 사용하지 않았고 톱과 끌, 송곳만으로 내부 장식을 아름답게 꾸며 놓았습니다. 프레오브라젠스카야 성당을 비롯해 20여 개의 아름답고 독특한 목조 건물들이 대자연과 조화를 이루며 보존되어 있습니다.

노브고로드 역사 기념물군과 주변 지역

(Historic Monuments of Novgorod and Surroundings : 문화, 1992년 지정)

새로운 도시라는 뜻의 노브고로드는 러시아에서 가장 오래된 도시 중 하나로 러시아 최초의 수도였습니다. 또한 9세기부터 중앙아시아와 북유럽 사이에 위치한 고대 무역로의 중심으로, 15세기에 러시아가 모스크바 공국으로 통일되기 전까지 번영한 도시입니다.

소피아 성당 12세기에 지어졌으며, 전체적으로 간결한 아름다움이 돋보이는 성당이다. 노브고로드 양식의 청동 부조와 프레스코화로 장식되어 있다.

이곳은 러시아 역사의 발상지이며 러시아 건축의 중심지로, 지금도 많은 교회와 수도원들이 남아 있습니다.

콜로멘스코예의 부활 교회

(Church of the Ascension, Kolomenskoye : 문화, 1994년 지정)

모스크바 남동쪽 황실 영토에 위치한 콜로멘스코예는 예수 승천 교회라고도 합니다. 표트르 대제가 마르코프 섬에서 옮겨 온 것으로, 1532년에 이반 4세의 출생을 기념해 지어진 것으로 추정됩니다. 비잔틴 전통을 가진 반구형 건물이 아니라 십자가 모양의 기본 틀 위에 벽돌과 석회석을 쌓아 만든 것으로, 러시아 교회 건축에 큰 영향을 준 러시아 최초의 텐트형 지붕 교회입니다

제 11 장
거듭되는 반전

아이고, 숨차.
설마 이 바이칼 호수까지
따라오진 않겠지?

뭐야?!

스스스

너, 너희는!!

감히 우리 돈을
가로채고도
무사할 줄 알았나?!

용기는 가상하다만
용서는 할 수 없지!

철컹

어, 어떻게 쫓아온 거야?!

우리가 알려 줬지.

ㅗㅋㅋㅋ—

저분들도 당신을 찾더라고.

ㄲ ㅏ F 윽

너, 너희들!!

어서 우리의 왕관과 저분들의 돈을 돌려줘!

부들 부들 부들

지금 내놓으면 용서해 주지!

난 못해!

이렇게 됐으니
할 수 없군……

너희가 탐내던
이 왕관……

여기 있으니
알아서 가지라고!!

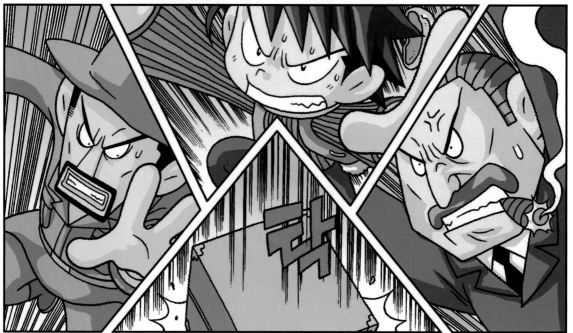

비켜, 내가 먼저 잡았어!

무슨 소리! 난 돈 가방을 두 개나 줬어!

이, 이건 우리 거예요!!

그래요! 왕관은 우리 거고, 봉자바가 갖고 간 돈이 아저씨들 거잖아요!

그건 그렇지만……!

우린 돈을 지불했다고!

안 돼요! 왕관은 우리 거라고요!

이, 이럴 수가!!

왜 그래, 누나?!

왕관에 쌍두 독수리 문장이 없어!

너희들 뭐 하는 거야?!
우리도 어서 봉자바를
쫓아가야지!!

ㄱ씨익ㄱ

왜 웃어?!

누나가 언제부터 이렇게
유물에 열성적이었지?

다시
봤어!

그러게~, 항상 핑계만
대고 놀고 싶어 하는 줄
알았는데~.

지금 그런 말
할 때야?!

푸하하

걱정 마,
누나.

?

봉자바가 가져간 문장은
가짜니까 말이야~!

정말 감사합니다!
여러분이 우리
볼쇼이 발레단을
구해 주셨어요!

하하하

별말씀을요!
제가 당연히 할…….

고맙다, 얘들아!

하하하

아니에요. 그보다
왕관을 찾는 데 큰 도움을
주신 분이 계세요.
오늘 여기 오셨죠.

치!

아니, 그런
고마운 분이?!

어디 계시냐?
응?

날세!

아, 아니 자넨…….
이고르!!

네, 이고르 씨가
위험을 무릅쓰고
도와 주셨어요.

하, 하지만…….

말도
하기
싫어!

어째서 도와 준 건가?
자네는 우릴
비웃었잖나.

난 그저 해야 할 일을 했을 뿐이야.
발레든 유물이든 존중받아야 하는
예술이니까 말이야.

아…….

오늘은 볼쇼이 발레단의
멋진 공연을 보러 왔네!

그랬나?
그럼 내
좋은 자리로
잡아 줌세!

단장님, 이제
약속하신 상금을……!

아차, 내가 미리
준비해 뒀단다.

이, 이건!!

그래! 볼쇼이 극장
평생 VIP
관람권이란다!

굉장하다!
그 구하기 어렵다는
볼쇼이 극장표를, 그것도
평생 VIP석이라니!

Yes!
Yes!

그럼 뭐 하냐고!
이건 러시아에 와야만
쓸 수 있는 거잖아!

다시 봐도 멋진걸. 정말 굉장해!!

너희가 찾아온 왕관이 더욱 아름답게 빛나는구나!

네! 유물을 찾아 내 지킨 보람이 있어요!

이번에 찾은 보물이야말로 진짜 보람찬 것 같아~!

호호호…

와!! 우라~! 브라보!

드디어 공연 끝~!!

여기예요, 왕자님~!

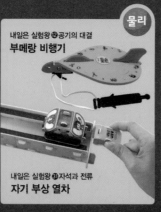

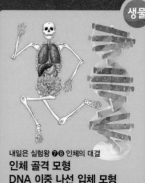

동·서양 문화가 교차하는 도시!

이스탄불에서 보물찾기

GRAND BAZAAR

HAGIA SOPHIA

SULTAN AHMET CAMII

세계 도시 탐험 만화 역사상식 시리즈

NEW

동·서양 문화가 교차하는 도시, 터키의 역사를 대표하는 이스탄불!

마흐무트에게 메일을 받고 이스탄불로 향한 팡이는
오스만 제국의 보물에 관한 뜻밖의 소문을 듣고
소문의 근원지를 확인하기 위해 나섭니다.
그러나 생각지도 못한 악당에게 당해 누명을 쓰는데……
이스탄불에서 펼쳐지는 보물찾기 대모험!

글 포도알친구 | 그림 강경효 | 값 11,000원

근간 예정 | 파리에서 보물찾기

서울특별시 서초구 신반포로 321   미래엔 고객센터 1800-8890   http://cafe.naver.com/iseum   **Mirae N** 아이세움